Pour Princesse Bakhta

ISBN 978-2-211-07049-2
Texte traduit de l'anglais par Élisabeth Duval
Première édition dans la collection *lutin poche* : juin 2003
© 2002, Kaléidoscope, Paris, pour l'édition en langue française
© 2001, David McKee
Titre de l'ouvrage original : « Elmer and Butterfly »
Éditeur original : Andersen Press
Loi numéro 49 956 du 16 juillet 1949 sur les publications
destinées à la jeunesse : mars 2002
Dépôt légal : janvier 2010
Imprimé en France par Mame à Tours

David McKee

Elmer et Papillon

kaléidoscope
lutin poche de l'école des loisirs
11, rue de Sèvres, Paris 6ᵉ

Elmer, l'éléphant bariolé, se promène quand une voix le salue du haut d'un arbre : « Bonjour, Elmer. »
« C'est toi, Singe ? » demande Elmer.
« Non, c'est moi », répond en riant cousin Walter, caché derrière un buisson.
Elmer éclate de rire : « Bonjour, Walter », dit-il.
« Tu es vraiment très fort pour faire des farces avec ta voix. Je continue ma promenade. À plus tard. »

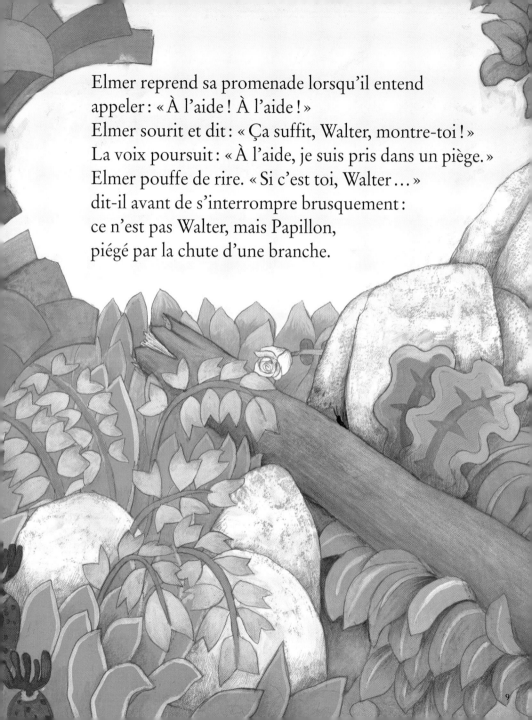

Elmer reprend sa promenade lorsqu'il entend
appeler : « À l'aide ! À l'aide ! »
Elmer sourit et dit : « Ça suffit, Walter, montre-toi ! »
La voix poursuit : « À l'aide, je suis pris dans un piège. »
Elmer pouffe de rire. « Si c'est toi, Walter… »
dit-il avant de s'interrompre brusquement :
ce n'est pas Walter, mais Papillon,
piégé par la chute d'une branche.

« Pauvre Papillon », dit Elmer, et il soulève la branche pour le libérer.

« Merci, Elmer. C'est arrivé pendant que j'explorais ce rocher. Mais crois-moi, je te revaudrai ça un jour. »

« Je t'en prie, Papillon, n'y pense plus », dit Elmer.

« Si tu as besoin de moi, prononce simplement mon nom », dit Papillon. « Où que je sois, je t'entendrai. »

« Un papillon qui sauve un éléphant, elle est bien bonne,
celle-là ! » dit Elmer en poursuivant sa promenade.
Le chemin bifurque bientôt. Elmer s'arrête devant le sentier
le plus étroit. « Je ne suis jamais allé de ce côté », dit-il.
« Ça a l'air intéressant. »

L'étroit sentier quitte brusquement la forêt
et serpente les bords à pic d'une falaise.
« C'est dangereux », dit Elmer. « Et le sentier ne mène
qu'à une simple grotte. Je vais rebrousser chemin. Oh là là !
Reculer n'est pas très facile. Je vais aller dans la grotte,
faire demi-tour et rentrer en marchant normalement. »

Elmer est presque arrivé quand le sentier commence
à s'effondrer. Il se réfugie dans la grotte, mais derrière lui,
une partie du chemin a déjà disparu.
« Oh non ! » s'exclame-t-il. « Je ne peux plus m'en aller.
À l'aide ! » crie-t-il. Mais personne ne répond.

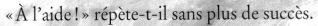

« À l'aide ! » répète-t-il sans plus de succès.
« Ils sont tous beaucoup trop loin », pense Elmer.
« Je vais essayer Papillon. »
« Papillon, à l'aide ! » crie-t-il.
Il veut renouveler son appel, mais Papillon est déjà là.

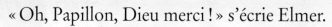

« Oh, Papillon, Dieu merci ! » s'écrie Elmer.
« C'est maintenant moi qui suis pris au piège.
Le sentier s'est effondré ! »
« Ne t'inquiète pas, Elmer », le rassure Papillon,
« je vais chercher de l'aide. »

Papillon trouve Walter en train de faire rire
un troupeau d'éléphants. Il leur expose la situation.
Les éléphants se précipitent immédiatement
au secours d'Elmer.

La falaise surplombe dangereusement la vallée et la plupart des éléphants s'écartent prudemment du bord. Walter disparaît dans la forêt.

Un ou deux éléphants se penchent avec précaution pour essayer de voir Elmer. « J'aperçois sa trompe », dit l'un d'eux.

Walter surgit au galop. Il traîne une longue liane bien solide. Il en jette une extrémité dans le vide en criant : « Elmer, attrape ! »

« Noue la corde autour de toi et tiens bon »,
dit Papillon. « Ne t'en fais pas, tout ira bien. »

Elmer s'accroche
fermement et crie :
« Je suis prêt ! »
Les éléphants
tirent sur la liane.
Elmer se retrouve
balancé dans le vide,
puis doucement
hissé
jusqu'au sommet.

Elmer est sain et sauf. Il remercie tous ses amis,
et plus particulièrement Papillon.
« Qui aurait cru qu'un papillon sauverait
un jour un éléphant ? » dit-il.
Mais un cri s'échappe de la grotte : « Et moi, alors ? »
Les éléphants s'inquiètent : « Il reste quelqu'un là-bas ? »
« C'est juste la voix de Walter », dit Elmer.
« Allons le surprendre. »
Mais Walter rentre déjà chez lui au grand galop.

29

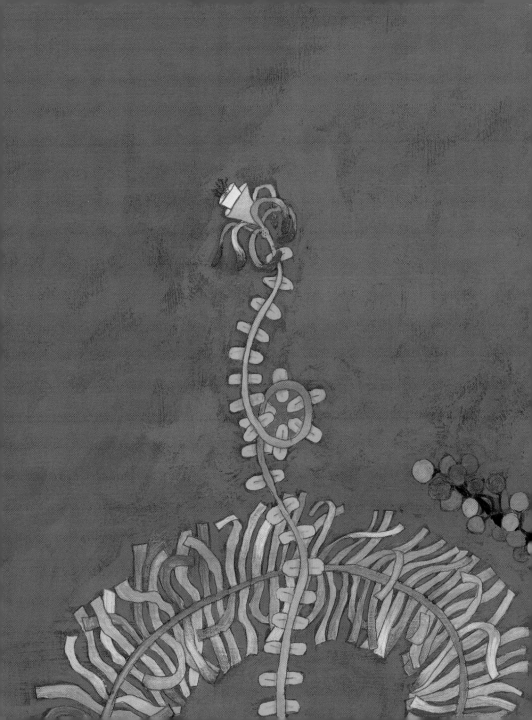